KB103698

entwurf.too

entwurf.too

발　행 | 2024년 04월 16일
저　자 | 페퍼,임준희
펴낸이 | 한건희
펴낸곳 | 주식회사 부크크
출판사등록 | 2014.07.15.(제2014-16호)
주　소 | 서울특별시 금천구 가산디지털1로 119 SK트윈타워 A동 305호
전　화 | 1670-8316
이메일 | info@bookk.co.kr

ISBN | 979-11-410-8133-1

www.bookk.co.kr
ⓒ 페퍼,임준희 2024

인간이 얼마나 다루기 어려운지 모른다.

보이지 않는 것들에 집중하면 앞에 있는 것들을 놓쳤고,
감성을 잃지 않으려 하면 현실의 일의 능률이 떨어졌다.
소나기처럼 쏟아지는 상황들 속에서 뭔가를 잡기 위해,
또 잃어버리지 않기 위해 버둥거렸다.

언젠가는 반항하듯 모든 틀에서 벗어나려 한 때도 있다.
하지만 이제는 파도와도 같은 게 있다는 것을 느낀다.

삶이 얼마나 단순한건지 모른다.

특별한 행복이든 유별난 아픔이든 모든것에는 끝이 있고,
아픔도 행복도 내가 기분따라 이름 내리면 그 뿐이었다.
그 기분따라 바뀌는 모든 것들 중에서 하나 확실한 것은
직접 성실하게 탐구해 나갈수록 내 삶이 빛이 난다는 것.
나와 내 주변 모두 사랑스러움이 흘러넘친다는 것.
어제 그대와 실컷 놀면 내일은 절제를 통해 변화하고
발전해서 스스로에게 성취감을 선물해줘야 하는 것이다.

이 책은 그간 내가 해 온 탐구의 지도다. 어디론가 기분
따라 흘러가려는, 되는대로 살려는 마음이 들때마다 다시
열심히 살도록 붙들어 묶어두려고 책으로 만들었다.

이렇게까지 왜 열심히 살려고 하냐고 묻는다면
특별히 할 말은 없다.
그냥, 내 삶을 조각할 기회는 이번 한번 뿐이니까.
띄어쓰기도 제대로 안했지만 이게 소중한 당신의 삶을
조각하는 데에도 도움이 되기를 바란다.
하루에 3분,
나는 매일 필사를 실천하면서 많은 변화를 느꼈는데,
100일이라는 시간동안 매일 같은 행위를 반복하는 것이
작지만 하나의 분명한 루틴을 만들어 내고,
작은 성취감이 쌓여 루틴에 조금씩 살을 붙여내더니
실행력에 불이 타오르게 하는 데에 큰 도움이 되었다.
중간에 오래 멈추게 되더라도 어느 날 생각나는 그 순간
부터 다시 이어나가서 마침내 100일을 꼭 채워보길!
오래 걸렸지만 결국 해냈다는 성취감과 새로운 의욕이
당신을 기다린다.
사실 나는 이 필사를 3년 동안 세 번이나 했지만
아직도 100일을 한 번만에 성공한 적이 없다.
허나 효과는 충분하다. 필사를 쓴 아침은 하루가 다르다.
함께하자. 이번에는 나도 그대와 함께 성공하리라!

당신이 뭘 하든 행복에 한 발 더 가까워지길 바라는
마음에서 페퍼 또는 준희가.

Day1

원하는 모습을 머릿속으로 생각하자.
그런 모습이 되고 싶다는 열망이 클수록
목표에 도달하려는 의욕도 커진다.
활력이 넘치고 유연하고 건강한 사람이 되는 것이다.
누구나 자신이 원하는 사람이 될 수 있다.
우리에게는 그럴 능력이 있다

Day2

하루의 끝은 밤이 아니라 아침이다.
아침을 어떻게 보냈느냐에 따라 하루가 달라진다.

Day3

경건한 마음으로 작은 과업에 집중하는 순간,
그 찰나의 고요함은 마음의 평안을 가져온다.
내가 게으름과 무기력에 빠졌을 때는 대부분
그 작은 순간의 중요성을 잊은 때 였다.

-그림의 말들, 태지원

Day4

5초 이상 고민하지 말자.
행동을 막는 것 말고 나아지는 게 없다.

Day5

어느 날은 망한 것 같고 무너진 것 같아도
결국 나를 지켜주는 것은 나밖에 없다.

Day6

좋은 것이 지닌 진정한 가치,
겉으로 쉽게 드러나지 않는 풍요로움은
일종의 금욕 안에서만 맛 볼 수 있음을 명심하자.

Day7

"당신이 하기를 두려워하고 있는 것을 하라.
그렇게 하면 그 두려움이 사라지는 것은 확실하다."

-랄프 왈도 에머슨

우선 당신이 자신의 두려움을 극복하려 하고 있다는
것을 적극적으로 긍정하고, 당신의 현재의식 속에서
하나의 확실한 결단에 도달하면 당신은 잠재의식의 힘
을 풀어놓는 것이 되며, 그것은 당신의 생각대로 자연
스럽게 없어질 것이다. 만약 당신이 사람들 앞에서 말
하는 것이 두렵다면 바로 그것을 하라. 그러면 그 두
려움은 확실히 사라질 것이다.

Day8

분산된 에너지로는 원하는 것을 이루지 못하는 것이
당연한 이치다. 원하는 것에 에너지를 집중하자.

Day9

스스로를 날씬한 사람이라고 생각자체를 바꿔야 한다.
중요한 것은 생각 자체를 바꿔야 한다는 것이다.
이미 이뤘다고 생각하고 당당하게 행동하자.
그렇게 하면 날씬한 적이 한번도 없었던 사람도
날씬해질 수 있다.

Day10

한 가지 일을 끝낼 때 까지 서두르지 말고 다른 것은
아무것도 생각하지 말자. 매번 처음 하는 것처럼
새롭고 흥미롭게 여기고 그 일이 지닌 가치를
재발견 하자. 하고 있는 것에 계속 집중하는 능력을
키우자. 자신의 한계를 뛰어 넘고 이전보다는 더
잘하도록 노력하자.

Day11

모든 생명은 제한적인 자유를 누린다.
당신을 가두는 것이 공간이든 시간이든 부디 그것에
집중하지 말길. 사는 동안 나를 자유롭게 할 수 있는
무언가를 찾는 데만 집중하길.

Day12

어차피 완벽할 수가 없다.
작은 거 하나에 집착하지 말고 일단 완성부터 하자.
수정이나 보완은 그 후에도 늦지 않다.

Day13

내가 특별하면 평범한 하루가 좋고,
내가 평범하면 특별한 하루를 원한다.

Day14

큰 목표든 작은 목표든 안전지대를 벗어나는 것은
같다. 어차피 이룰거라면 작은 목표보다는 큰 목표를
세워라. 생각만 해도 가슴이 뛰는 목표를.

Day15

"live on the edge."
가장자리에서 매 순간을 살아라!
인생의 새로운 단계로 도약하려면 편안한 지대를 뚫고
나와 불편한 일들까지 할 수 있어야 한다. 바로 그때
가 진정으로 성장할 수 있는 시간이기 때문이다. 편안
함에 안주하는 순간 당신의 성장은 거기서 멈춘다.
내 안에 있는 잠재력을 발견하고 내가 몰랐던 내 안의
달란트들을 발견하고 발전 해 나가기를 원한다면,
안전한 상자 안에서 언제든지 기꺼이 밖으로 튀어나갈
준비가 되어 있어야 한다. 그 상자 밖을 나갔을 때 펼
쳐지는 내가 한번도 경험하지 못했던 세상! 그때 느껴
지는 두려움을 기꺼이 껴안아 주어야 한다.
성장하는 삶! 그것은 짜릿하다! 당신을 진정 살아 숨
쉬게 한다!

Day16

이제는 즐거움의 시대야. 일을 하지않아도 된다는 게
아니라 힘들다 힘들다 하면서 할 게 아니라는 거지.
공부도 마찬가지야. 강요에 의해 하는 것이 아니라
놀이를 하듯 즐기면서 하는거야. 손님이 돈을 지불하
고 상품을 사는 것도 그 안에 즐거움이 있기 때문이야
모든 게 즐거움이 없으면 성립이 되지 않는 그런 시
대가 바로 즐거움의 시대야.

-1퍼센트 부자의 법칙, 사이토히토리

Day17

0. 노트를 편다.
1. 당신은 언제 은퇴하고 싶은가
2. 은퇴 후에는 어떤 삶을 살고 싶은가
3. 꿈꾸는 삶을 살면 좋겠다고 생각만 하는가, 아니면
그 삶을 위해서 지금을 희생할 수 있다고 생각하는가.
전자라면 이대로 살아도 괜찮다. 하지만 후자라면
4. 노트를 펴고 그 삶을 위한 적정 은퇴 자금을 계산
하고 지금 어떤 것을 포기해서 그 꿈을 당겨야 하는지
구체적으로 계획하고 실행해야 한다.
그래야 살아지는 대로 사는 것이 아닌,
당신이 그토록 꿈꾸는 삶을 살 수 있다.

Day18

두려워도 행동하겠다. 불편해도 행동하겠다.
힘들다 생각하지 않는다. 나는 지금 이 행동들을 통해
어마어마한 삶을 살아갈 것이다. 이 모든 순간들은
지나간다.
그러니까 이 청춘을, 이 열정을, 이 과정을 하나하나
모두 즐기자.

Day19

세 살짜리 아이처럼 시작하면 된다.
1.도전하고
2.일상으로 만들고
3.뒤따라오는 보상을 즐긴다.
그 천진난만함이 당신을 성장시킬 것이다.

Day20

나는 목표를 위해 그렇게 고생해야 한다고 생각하지
않는다. 다만, 나의 인생이 변하려면 그에 걸맞는
변화나 개혁은 필요하지 않겠는가?

Day21

상황을 가장 잘 활용하는 사람이 가장 좋은 상황을 맞는다. 지금 나는 내 상황을 얼마나 잘 활용하고 있는가?

Day22

새로운 길을 만들어 가는 것은 누군가의 용기있는 결
단 없이는 불가능하다. 용기있는 결단과 함께 가치있
는 '이상'이라는 목표를 마음에 품고, 산사태가 온다해
도 두려움의 장벽에 부딪혀 넘어진다 해도
뜨거운 사상으로 끝까지 다다르라!
그렇게 만들어진 길을 따라 많은 사람들이 편하게
오고간다.

Day23

참을성을 기르자. 활기찬 하루를 보내려면 몸이 뒷받
침 되어야 한다. 육체적인 어려움을 이겨내는 용기를
키우고, 고통을 불평없이 참아내고, 추위,졸음,배고픔을
견디도록 노력하자. 갑자기 인생의 시련이 닥쳤을 때
이겨낼 수 있도록 평소에도 가끔은 힘든 일을 하자.
절제력과 인내심을 키우고 유혹을 이겨내자. 성급하게
서두르지 말고 여유를 갖는 법을 배우자.

심플하게산다-도미니크로로

Day24

거짓행복의 거품은 상실의 고통 앞에서 곧 사그라진다. 하지만 진정한 행복은 그렇게 쉽게 사라지지 않는다. 건강을 돌보고, 마음과 감정을 균형있게 유지하도록 노력하자. 잃고 죽는 것이 얻고 사는 것보다 더 중요하지도 덜 중요하지도 않다는 것을 점차 알게 될 것이다.

Day25

눈을 뜨자마자 허겁지겁 출근할 준비를 하지 말고 좋아하는 일로 하루를 시작해보자. 주말같은 아침을 보내는 것이다. 나는 새벽에 음악을 듣고 차를 마실 뿐만 아니라 좋아하는 영화나 TV프로그램을 보기도 한다. 그러다 어떤 목표가 생기면 그 목표를 달성하는 데 시간을 투자한다.

나의하루는4시30분에시작된다-김유진

Day26

Day27

인간은 결국엔 혼자서 살아갈 수 밖에 없고, 혼자 보
내는 대부분의 시간을 어떻게 보내느냐에 따라 그 사
람의 삶의 질이 결정된다고 봤을 때 책의 가장 위대하
고도 현실적인 효용성은 혼자있는 시간을 사람들과 있
을 때 못지 않게, 때로는 더 풍요로운 순간으로 만들
어 준다는 점이 아닐까 한다. 쉽게말해, 바로 이런 순
간에 책을 읽어야한다는 얘기다.

Day28

사람은 자기 자신을 오렌지 두 알에 팔아 넘길 수도
있고, 감자 네 근에 팔아버릴 수도 있다.
그러나 또한 스스로 원하기만 한다면 자기자신을 값으
로 따질 수 없을 만큼 귀한 존재로 만들 수도 있다.
그 모든 것은 자신을 어떻게 생각 하느냐에 달려있다.

Day29

자신이 성공하는 내면의 그림을 마음 속에 명확히 그
리고 지울 수 없게 각인시켜라. 이 그림을 끈질기게
간직하라. 절대 희미해지도록 내버려두지 마라. 그대의
마음이 이 그림을 실현하기 위해 노력할 것이다.
당신의 상상속에 어떠한 장애물도 두지마라.

Day30

구체적이고 가치있는 목표를 생각하고 있다면,
그것을 달성할 것이다. 반대로 목표가 없고 어디로
가는지 모른다면, 생각은 혼란,불안,두려움,걱정으로
가득차서 삶은 정체 된다.
당신이 믿든 믿지 않든 세상의 가장 이상한 비밀은
우리는 우리가 생각하는 대로 된다는 것이다.

Day31

우리는 모두 삶을 여행하는 여행자다. 누군가는 아무 생각 없이 다른 사람이 정해놓은 길을 따라가는 사람이 있는가 하면, 다른 누군가는 자신이 습득한 지혜를 발휘해 스스로 목적지를 선택하는 위대한 여행자가 된다. 스스로 목적지를 선택한 여행자는 여행의 의미를 거두게 되겠지만, 그저 따라가기만 한 사람은 그렇게 목적지까지 도착했을 때 알게 된다.

내가 원한 길이 아니었다는 것을.

바쁘게 보낸 나의 하루가 만족스럽지 않다면 당장 스스로에게 질문해봐야 한다.

"나는 누구의 행복을 위해 살고있는가?"

Day32

걸을 때든 요리할 때든 활력이 넘치게 하자. 요컨대
'힘차게' 살자. 긴장을 풀고 자신에게 미소를 지어주자.
그리고 활력있게 살기 위해 노력하되, 한계를 뛰어넘
는 사람이 되자.

Day33

성장하는 삶!

그것은 짜릿하다!

당신을 진정 살아 숨쉬게 한다!

Day34

성공의 비결은 포기하지 않는 것이다.
실패하면 "ok,다음!"을 외쳐라.

Day35

언제나 완벽을 향해 가면서 노력하자.
좋은 음식을 소식하고, 일찍 자고, 운동하고, 배움을
멈추지 말고, 좋은 사람들을 만나고, 새로운 생각을 떠
올리고, 매일매일 자신이 찾아 낼 수 있는 최대한의
즐거움을 찾아내자. 검소하게 차려입고, 자신에게 걸맞
는 정직한 친구들을 사귀고, 정신을 풍요롭게 만드는
책을 읽고, 좋은 환경을 만들고, 상식을 실천하자.
자신을 위한 창조자가 되자. 우리는 우리가 원하는 모
습으로 변화할 수 있다. 우리가 원하는 멋진 세상은
우리가 만들어 낼 수 있다.

Day36

시련을 통해 나는 조금 더 현명해지고, 조금더 행복해
지고, 조금 더 이 사랑을 나눌 수 있는 단단한 내가되
어갔다. 그리고 그런 나를 더더욱 사랑할 수 있게 되
었다.

Day37

4시 30분에 일어난다. 다른 사람보다 먼저 일어났다는 승리감이 좋기 때문이다. 빠르게 샤워를 한 뒤 손목시계 사진을 찍어 트위터에 올린다. 이렇게 하면 나 자신과 다른 사람들에게 자극을 줄 수 있다.

모두가 4시에 일어날 필요는 없다. 중요한 사실은 언제든 일어나서 움직이는 것이다.

Day38

고독을 즐기자. 고독은 하늘이 준 선물이다. 고독은
중요한 문제를 생각하거나 일에 집중하면서 스스로를
발전시키는 데 꼭 필요한 조건이다. 혼자 있는 시간은
아직 발견하지 못한 인생의 새로운 영역에서 꽃피우게
될 씨앗을 심기 위해 주어지는 것이다.

Day39

나의 매일 최우선 과제는 신체적으로든 정신적으로든
나 자신을 행복하게 만들어 주는 것이다. 모든 루틴은
이 하나의 목적으로 연결되어 있다.

-나의하루는4시30분에시작된다, 김유진

Day40

이제 적당히 노력해서 적당히 인정받고
'나는 그냥 즐기는 정도가 좋아' 하는 한량놀이는
재미가 떨어졌다. 좋아 이제 내 컨셉은 김연아다.
이제 무엇이든 손에 잡히는 결과를 가져와야겠다.
내가 또 집착하려 하면 끈질기지.

Day41

4시30분에 일어나든 6시에 일어나든 얼마큼은 그동안 익숙했던 공간에서 벗어나 앞으로 전력질주하기를 바랍니다. 그 과정에서 나도 몰랐던 나 자신을 다시 알아가게 될 것입니다.

Day42

진정한 발전은 자신이 잘하는 것을 찾는 것이 아니라
부족함을 인정하고 어제보다 더 나은 자신이 되기위해
노력하는 것이다.

Day43

여유로운 하루는 시간에 끌려 다니느냐 아니면 내가
시간을 장악하느냐에 달려있다. 나의 목표와 목표를
달성하기 위해 해야 할 일을 제대로 파악하고 나에게
얼마큼의 시간이 주어졌는지, 자투리 시간을 얼마나
더 확보 할 수 있는지 확인 해 스케줄을 주도해야 한
다. 가장 중요한 것은 시간별로 일과를 지정하는
것이 아니라 새벽, 오전, 점심, 오후, 퇴근 후로 분리해
배정해야 한다는 것이다.

Day44

나는 아직도 약간 반항아다. 이렇게 가만히 앉아 있을
순 없다고 언제나 얘기한다. 매일 아침, 세상이 바뀌고
있다는 경각심을 갖고 일어나야한다. 그리고 성공하기
위해서는 누구보다도 민첩하고 빠르게 변화해야 한다
는 확신을 가져야 한다.

Day45

어쩔 수 없이 혼자 있는 게 아니라 혼자 있는 것을 즐기자. 혼자 지내는 것은 배우고 익혀야 하는 하나의 기술이다. 혼자서 조용히 할 수 있는 일은 정말로 많다. 책을 읽고, 공상에 빠지고, 창조하고, 자기자신을 돌보자. 가끔은 조용하고 아담한 호텔에서 밤을 보내고, 햇볕이 잘 드는 카페에서 소설을 읽고 물가로 소풍을 가자. 혼자서 시간을 보내보면 다른 사람들의 존재도 더 소중히 여기게 된다. 고독은 삶을 더 풍요롭게 만들어 준다.

Day46

그냥 지나칠 많은 것들에 늘 '왜'를 던지자. 알고 싶어
하자. 궁금해 하자. 이유를 알고 싶어하는 것이 많은
것을 알게 하고 나를 어중이 떠중이가 아닌 전문성을
갖게 한다. 세상의 모든 똑똑한 사람은 그저 그 분야
에서 궁금한 게 많았을 뿐이다.

Day47

단 1-2년이면 나라가 흥하고 망한다.
당신의 마음에 따라 무엇이든 바뀔 수 있는 엄청난
시간들이다.

Day48

현실에 안주하는 것은 성장의 적이다. 크든 작든 스스로에게 매일 한계를 넘어서는 경험을 주자.

Day49

천재란 뭐든 잘하는 사람이 아니라 어떤 일에 대처할 때 다른 사람보다 짧은 시간에 올바르게 노력하는 방법을 찾아내는 것이다.

Day50

목표를 정하면 꼭 일상 속에 녹여내려고 한다.
새롭게 하나하나를 시도할 때마다 에너지를 추가로
쓸 수는 없기 때문이다.

Day51

매스미디어가 전파하는 폭력과 공포에 맞서 지식과
예술, 아름다움, 행복, 평화, 사랑이 우리 마음에 자리
하게 해야 한다. 모든 생각은 결국 아무것도 아니다.
부정적인 생각에 휘둘리지 말자.

Day52

내가 가진 재능을 단정 짓지 않을 것, 다양한 것에
도전하고 즐기고 그 후에 결정해도 늦지 않아.
천천히 자신과 마주 해 나가는 것이지.

Day53

우리에게 정말 중요한 한 가지는 잘 사는 것이다.
그런데 잘 살려면 수동적으로 '살아있는'게 아니라 능
동적으로 '살아가야' 한다. 열정적으로 삶을 사랑하며
살아가야 한다. 그러므로 주변에 두는 물건과 사람과
정신적인 것들은 정성스럽게 골라야 한다. 그것을 통
해 삶의 열정을 되찾을 수 있어야 한다.

Day54

당신은 자신에게 투자하고 있는가?
배우는 것을 절대 멈추지 마라. 안전한 우물 안에서
벗어나 자신을 마음껏 펼치고 성장시켜라. 대부분의
사람들이 등한시하는 마인드에 대해서 끊임없이 배우
고 인생의 법칙을 이해하고 적용하기 시작하면 보이기
시작하는 결과에 놀라게 될 것이다.
배우는 것을 절대 멈추지 마라.
세계적으로 성공한 사람들은 그들의 마인드 강화에 끊
임없이 투자하고, 그 법칙을 배우고, 자신을 끊임없이
훈련시켰고, 지금도 훈련하고 있다는 사실을 기억하라.

Day55

원하는 모습을 머릿속으로 그리는 일과 목표에 도달하기 위해 지침을 세우고 묵묵히 따르는 일은 병행해야 한다.

Day56

바로 지금이 미래의 가장 그리운 청춘의 기억이 되겠
지. 철 들 필요 없어. 하고 싶은 대로!
열정 장착하고! 잘한다!

Day57

꿈은 장차 현실이 될 어린 나무와 같다. 당신이 처한 상황이 마땅치 않더라도 이상을 간직하고 거기에 도달하려고 애쓴다면 그 상황은 오래 지속되지 않을 것이다. 마음이 움직이는데 몸이 제자리에서 가만히 있을 수는 없기 때문이다.

Day58

나는 깨어있고 에너지가 충만하며, 생기 넘칩니다.
나는 열정과 목표를 갖고 살아갑니다. 나는 매일매일
웃고 즐깁니다.

Day59

진동수가 떨어질 때야 말로 진동수를 끌어 올려야 해.
어두울 때야 말로 불을 켜야 해.

Day60

나는 아침 4시30분에 일어난다. 그리고 체육관에 간다. 운동을 할 때는 오래 할수록 빠져들게 된다. 결과를 직접 체감하면 더 높은 레벨로 자신을 밀어붙이게 된다.

Day61

용기를 내어 생각하는 대로 살지 않으면, 머지 않아
사는대로 생각하게 된다.

Day62

충만한 삶은 완전히 깨어 있어 자유롭고 통찰력 있는
정신을 전제로 한다. 지금 하고 있는 것만 중요하게
여기자. '지금'과 '여기'에 집중하면서 천천히 행동하자.
그래야만 순간의 질이 높아진다. 순간의 질을 바꿀 수
있는 능력은 아주 귀중한 재능이다.

Day63

영혼의 짝을 기다리고 진정한 친구를 찾아 헤매던 날
들이 내게 보상 해 준 것은 무엇일까. 나의 결핍은 친
구나 가족, 연인이 메워줄 수 없다. 그들은 나의 결핍
을 채워주기 위한 존재가 아니며 그들 자체로 각자의
결핍을 스스로 메워가야 하는 독립적인 존재들일 뿐
이다.

Day64

만약 지금 외롭다고 느낀다면, 평소 외로움에 못이겨
주저앉는 순간이 자주 온다면 이것은 자기 자신에게
집중할 기회일지도 모른다. 이 신호를 무시하지 말자.

Day65

꽃을 사랑한다고 말하면서도 꽃에 물을 주는 것을 잊
어버린 여자를 본다면, 우리는 그녀가 꽃을 '사랑한다'
고 믿지 않을 것이다. "사랑은 사랑하고 있는 자의
생명과 성장에 대한 우리의 적극적 관심이다."

Day66

육체적으로 불편해지면 정신적 연결이 생겨난다.
운동을 하고 땀을 내면 안보이던 답이 보인다

Day67

꿈을 날짜와 함께 적으면 그것은 목표가 되고, 목표를
잘게 나누면 그것은 계획이 되며, 그 계획을 실행에
옮기면 꿈은 더 이상 꿈이 아니다. 실현되는 것이다.

-그레그 S, 레이드

Day68

오랫동안 꿈을 그리는 사람은
마침내 그 꿈을 닮아간다.

-앙드레 말로

Day69

미래로부터 역산해 현재의 행동을 결정하라. 99%의
사람은 현재를 보면서 미래가 어떻게 될 지를 예측하
고, 1%의 사람은 미래를 내다보면서 지금 현재 어떻
게 해야 될 지를 생각한다. 물론 후자의 1%만이 성공
한다. 그리고 대부분의 사람들은 그 1%의 인간을 이
해하기 어렵다고 말한다.

Day70

돈을 10만원을 가지고 있어도 3만원을 모을 줄 아는
사람이 부자의 길로 가고 있는 것이다. 억만장자나
재벌도 같다. 같은 길로 가고 있는 중 일 뿐이다.

Day71

오늘날 나의 모든 것은 과거의 내가 무수히 반복 해
온 행동의 결과다.
고로 나는 오늘 하루만 사는 것이 아니라, 오늘 행동
의 결과가 드러날 3년 후의 나까지 최소한 이틀을
동시에 살고 있는 것이다. 나의 하루는 하루가 아니다.

Day72

젊음이 영원하지 않다면, 더더욱 쉽게 항복하지
않기를. 발악하듯 더 아름답게 오늘을 빛낼 것을.
도전하는 것을 멈추지 않을 것을
스스로의 한계를 뛰어넘는 자신이 될 것을
믿는다

Day73

큰 목표를 세우고 목표를 향해 나아갈 때는 반드시
중간에 표시를 해 두어야 한다. 중간 목표를 향해
나아가다 보니 어느새 자신도 모르게 최종 목표에
도달하는 것이 가장 바람직하다. 중간 목표를 이루고
멈추면 '잠시 쉴까?' 하게 되는데,
앉으면 눕고 싶은 것이 사람의 마음이다.
가속에너지가 다시 0이 되면 실행까지 또 큰 힘을
들여야 한다. 가속에너지가 0이 되지 않도록 주의하자.
항상 다음의 더 큰 목표를 가지고 나아가자.
가속의 에너지가 붙을수록 하고자 하는 것들이 손쉽게
이뤄지는 경험을 하게 될 것이다.

Day74

내생각에는 강력한 힘이 있다. 별이 하늘에서 떨어진
이유에 대해 한마디로 말하면, 내가 원해서다.

-괴테

Day75

발전하기 위한 습관을 만들 때 핵심은 나 자신에게 집
중하는 것이다. 친구보다 나와의 약속을 우선으로 지
키고 외부의 일보다 내면의 소리에 귀 기울여야 한다.
기한을 정해두고 나 자신에게 집중하다 보면 신기하게
도 예전에는 힘들게 쫓아다녀야 했던 상황들이 알아서
나를 따라온다. 나에게 무엇이 중요하고 중요하지 않
은지 깨달으면서 생기는 결과다.

Day76

자기계발을 할 때는 "멀리 가려면 같이 가라"는 말이
적용되지 않는다. 진짜로 발전하고 싶다면 외부 소음
을 차단하고 내 안의 자기계발 모드의 스위치를 켜야
한다.

Day77

인생을 바꾸고 싶다면 아무리 사소한 목표일지라도 한 번에 손쉽게 이뤄지길 기대하는 태도는 버려야 한다. 행운을 기대하지 않고 다른 사람들의 이야기가 아닌 나의 목소리에 귀 기울이며 조금씩 스스로를 발전시키다 보면 예전과는 다른 기회가 찾아온다. 늘 나와는 상관없다고 여겼던 기회가 다가온 순간 조용히, 묵묵히 변화해온 당신이 해야 할 것은 단지 그 기회를 놓치지 않는 것뿐이다.

Day78

앞으로 20년 뒤 당신은 한 일보다 하지 않은 일을 후
회하게 될 것이다. 그러니 배를 묶은 밧줄을 풀어라.
안전한 부두를 떠나 항해하라. 당신의 돛에 무역풍을
가득 담아라. 탐험하라! 꿈꾸라! 발견하라!

Day79

동기부여에서 오는 감정은 결국 왔다가 사라져. 변화
를 만드는 건 동기부여가 아니야. 만약 당신이 의욕이
있을 때만 해야할 일을 했다면 그건 그저 순간 감정에
나를 맡기는 거야. 하지만 스스로 통제하고 습관을 만
들면 당신은 당신이 해야 할 일을 해낼거야.
기분이 어떻든, 일어나서 해야할 일을 해. 그게 변화를
만드는 방법이야.

Day80

쇠진한 정신과 건강하지 못한 몸은 함께 나타난다. 정신은 몸에 큰 영향을 미치며, 질병의 유무는 정신이 얼마나 깨어있고 균형을 얻기 위해 얼마나 노력하느냐에 달려있다. 정신만이 현실을 파악할 수 있다. 정신의 힘은 무한하다. 따라서 몸을 완벽한 상태로 유지해야 한다. 우리가 더 많은 에너지를 얻고자 할 때 정신을 보좌하는 것이 바로 몸이기 때문이다.

Day81

"그냥 밥 먹고 살면 되지." 이런 생각을 갖고 산다면
돈을 버는 능력도 제한받을 수밖에 없다. 이런 태도는
가난하게 살기로 작정한 것이나 다름없다. 돈은 부의
사고 습관을 사랑하며, 그것에 풍부하게 보답한다.

Day82

실패란 없으며, 오직 교훈이 있을 뿐이다. 성장은 고난
과 실수에서 찾아온다. 실험과 시도가 곧 성장을 가져
다 준다. 실패한 시도는 성공한 시도와 마찬가지로 똑
같이 성장이라는 열매를 가져다 준다. 교훈은 당신이
그것을 얻을 때까지 계속 반복된다. 당신이 교훈을 얻
을 때까지 그것은 다양한 형태로 당신에게 찾아온다.
당신이 그것을 배우면 당신은 그 다음의 교훈으로 나
아갈 수 있다.

Day83

사람을 고귀하게 만드는 것은 고난이 아니라 다시 일
어서는 것이다. 어제 안되면 오늘 바로, 오늘 안되면
내일 바로 다시 시작한다. 생각을 할 겨를도 없다.
그냥 해보면 안다. 나는 그새 늘어있다.

Day84

잠재의식은 무엇인가를 받아들이는 능력이 대단히
뛰어나다. 진실이든 거짓이든 긍정적이든 부정적이든
어떤 말이 잠재의식에 뿌리를 내리면 잠재의식은 모든
능력과 재주를 다해 그것을 현실로 만들려고 노력한다
"나는 내가 좋다!"
이 말을 반복해보자. 힘이 날 것이다. 무엇이든 더 잘
할 수 있게 될 것이다. 더 행복해질 것이다. 이 효과를
영원히 지속시키고 싶다면 그 말이 성과를 거둘 때까
지 계속 반복하라. 지금 당장 반복하자.
나는 내가 좋다.
나는 내가 정말 좋다!

Day85

'왜'사는지 자문하지마라. 이는 답이 없는 질문이다.
살아 숨을 쉬고 있는 한, 무엇을 기대하는지 생각해보
고 자신이 좋아하는 것들을 적어보자. 하루에 적어도
한 번은 스스로를 기쁘게 해주자. 정원을 가꾸고 요리
를 하고 산책을 하고 좋아하는 차를 마시고 즐길 수
있는 무언가를 만들자.

Day86

겉핥기로 살지 마라. 몸에 음식이 필요한 것처럼 정신에는 생각이 필요하고 마음에는 기쁨이 필요하다. 샴페인을 즐길 줄 아는 삶을 살자. 새로운 철학을 공부하는 데 시간을 낼 줄 아는 삶을 살자. 우리는 타고난 본능이 정상적으로 충족될 때만 행복해 질 수 있다. 인간의 무한한 다양성을 사랑하자. 잘 사는 방법은 삶을 즐기는 것이다. 산다는 것은 하나의 기술이며, 이 기술은 노력 없이 얻을 수 없다.

Day87

모든 것과 조화된 상태에서 나만의 이상을 향해 품고
나아간다면 인생에서 모든 퍼즐 조각들은 맞춰지기
시작한다. 어떤 상황이나 사람, 환경 혹은 내가
마음속에서 원하는 그 무엇이 나에게 이끌려 찾아
올 것이다. 그것도 내가 필요로 하는 바로 그 순간에
나타날 것이다. 그곳을 향해 가는데 한 치 앞이 보이
지 않아도 불안 해 하지 말자. 모든 것이 조화 된
상태에서 맡기는 마음으로 나아가자. 내가 필요로 하
는 바로 그 순간에 그 것은 나타날 것이다.

Day88

착각해서는 안 된다. 자제심이라는 단어를 머리로 이해 했다고 하여 어떤 일이든 자제할 수 있는 것은 아니다. 자제는 자신이 현실에서 행해야 하는 바로 그것이다. 하루에 한 가지, 아무리 작은 일이라도 자제를 각오하라. 최소한 그 정도의 일을 수월히 해낼 수 없다면 자제심이 있다고 말할 수 없다. 자제할 수 있다는 것은 자신을 컨트롤 할 수 있다는 것이다. 자신의 가슴속에 깃들어 있는 욕망을 스스로 제어한다는 것이다. 욕망이 이끄는 대로 끌려가지 않고 자신의 행동을 확고히 지배하는 주인이 되는 것이다.

Day89

지금 돌이켜보면 실패로 보였던 것들은 가던 길을 멈추고 보다 나은 쪽으로 접어들도록 이끌어주었던 보이지 않는 천사의 손이었다.
시련을 통해 나는 조금 더 현명해지고, 조금 더 행복해지고, 조금 더 사랑을 나눌 수 있는 단단한 내가 되어갔다. 그리고 그런 나를 더더욱 사랑할 수 있게 되었다. 나폴레온 힐은 시련을 이렇게 표현했다.
"운명이 우리의 어깨에 위대한 책임을 지우기 전에 여러 가지 방법으로 우리의 됨됨이를 시험하는 것."
이 시련도 곧 지나갈 것이다.
그러니 꿈을 향해 나아가면서
시련을 두려워하거나 회피하려고 하지 말지어다.

Day90

우리는 스스로가 진실이라고 믿는 이미지에서 벗어나
거나 그것을 넘어 설 수 없다.
사람들은 항상 자기자신과 주위 환경에 대하여 스스로
가 진실이라고 믿는 것에 따라 행동하고 느끼고 또 행
동하며 그에 따른 결과를 경험한다. 아무리 목표를 높
게 설정해도, 자신에 대해 스스로 믿는 이미지가 그보
다 낮다면 그 이상의 결과를 삶에서 얻을 수 없다.
당신은 당신 자신을 어떻게 바라보고 있는가?

Day91

반드시 된다.

과연 그게 가능할까? 정말 내가 될 수 있을까? 의심하
지 마라. 상상력의 핵심은 '될 수 있을까?'의 가능성
이 아니다. '반드시 된다' 라는 확고한 신념이다.

단 1%도 의심하지 않는 절대적 믿음이다. 이미
수많은 책에서 잠재의식의 힘을 말해왔다.

상상의 힘을 내 편으로 끌고 오는 가장 확실한 방법은
완벽하게 믿는 것, 그것뿐이다.

Day92

"나의 일상은 지극히 단조로운 날들의 반복이었다.
잠자고 일어나서 밥먹고 연습, 자고 일어나서 밥먹고
다시 연습, 어찌보면 수행자와 같은 하루였다. 하지만
내가 알고있는 한 어떤 분야든 정산에 오른 사람들의
삶은 공통적이게도 조금은 규칙적이고 지루한 하루의
반복이었다. 나는 경쟁하지 않았다. 단지 하루하루를
불태웠을 뿐이다. 그것도 조금 불을 붙이다 마는 것이
아니라 재까지 한 톨 남지 않도록 태우고 또 태웠다.
그런 매일 매일의 지루한, 그러면서도 지독하게 치열
했던 하루의 반복이 지금의 나를 만들었다."

-발레리나 강수진, 나는 내일을 기다리지 않는다

Day93

평범한 당신도 위대한 사람이 될 수 있다.
내가 원하는 상태를 향해 하루하루 찍은 '점'들이 모여
'선'이 만들어지고 그 '선'들이 모여 '면'이 만들어진다.
매순간 원하는 것을 품고 집중해서 '점'을 찍어가다 보
면 결국 위대함이 만들어진다. 대부분의 사람들은 인
생 걸작을 이룬 사람들의 '면'을 보고 부러워한다.
그들이 재까지 남기지 않고 태우고 또 태웠던 '점'들은
보지 못한다. 하루 24시간 모두에게 주어진 시간은 똑
같다. 다시 되돌릴 수 없는 이 시간을 현재 어떻게 보
내는지에 따라 당신의 내일이 바뀌고 내년이 바뀌고,
인생이 바뀐다.

Day94

나 자신에게 크게 외치자.
두려워도 행동하겠다!
불편해도 행동하겠다!
힘들어도 행동하겠다!
나는 이 행동을 통해서
어메이징한 인생을 살아갈 사람이다!
가슴에 손을 얹고 말하자!
All is well.
이 또한 지나갈 것이고, 지금을 생각하며 웃을 날이
올 것이다.
이 또한 지나가리라
this, too, shall pass away.
진지함을 버리고, 세상을 즐겁고 유쾌하게 살자!

-뜨겁게나를응원한다,조성희

Day95

1. 눈 앞에 흥미로운 일이 있으면 당장 직접 해본다. 돈걱정은 안중에도 없고 질릴 때까지 푹 빠져서 해본다. 물론 실패한 적도 많지만 그 과정에서 얻는 귀중한 경험이 더 많다.
2. 그러므로 내 인생은 여태 '해볼걸'하는 후회가 없다.
3. 몸은 어른일지언정 행동욕구는 세살수준에 머무르자. 어떻게 될지 짐작하고 망설이지 말자.
사람들은 본능적으로 불안과 망설임을 감지한다.
4. 하고싶은 일이 있다면 리스크에 아랑곳하지 않고 먼저 손을들어 무엇이든 하고보는 사람의 시대가왔다.
5. 잘되는 프로젝트에는 의욕 넘치는 팀장을 중심으로 우수한 엔지니어나 전문가가 많이 몰려있다.
긍정적인 영향을 끼치고 실행력이 좋은 사람에게는 인재가 자연스럽게 몰린다.
6. 엄청난 속도로 AI와 로봇이 인간을 대체하는 시대에는 제일 먼저 손을 들고 바로 뛰어드는 실행력이 기술이나 지식 이상의 가치를 가질 수 밖에 없다.
7. 앞으로의 시대에서 리스크 때문에 멈칫거리는 사람은 성공할 수 없다.

Day96

어떤 말이든 반복적으로 계속 되풀이해 주입하면, 그 말이 진실이든 거짓이든 그 사람이 차츰 변화해서 결국 그 사람 자체가 완전히 변화되어 버린다.

매일 스스로에게 어떤 말을 해주고 있는가?

"나는 ~하다" 로 내가 원하는 나의 모습을 말해보자.
(예를 들어 나(임준희 본인)의 문장은..

~~"나는 섹시한 코어를 가진 폭주기관차!"~~ 로 정했다.

가장 중요한 것은 이 말을 반복함으로써 생겨나는 내 마음의 변화다. 그것을 이루었을 때 느끼게 될 감정들을 지금처럼 느끼는 것이 중요하다. 그 느낌들이 강하면 강할수록 실제로 삶에서 변화되는 속도도 빨라질 것이다. 하나의 문장을 접수하면 다음문장을 또 만든다. 외칠때마다 신이나고 원하는 마음이 강렬해지는 다음문장을.

Day97

진정 살아라.

당신이 불행하다고 해서 남을 원망하느라 기운과 시간을 허비하지 말아라. 어느 누구도 당신의 인생의 질에 영향을 미칠 수는 없다. 그럴 수 있는 사람은 오직 당신 뿐이다. 모든 것은 타인의 행동에 반응하는 자신의 생각과 태도에 달려 있다.

많은 사람들이 실제 자신과 다른 뭔가 중요한 사람이 되고 싶어 한다.

그런 사람이 되지 말아라.

당신은 이미 중요한 사람이다. 당신은 당신이다.

당신 본연의 모습에 평안을 얻지 못한다면 절대 진정한 만족을 얻지 못할 것이다.

다른 사람들이 당신에 대해서 뭐라고 말을 하든 어떻게 생각하든 개의치 말고 심지어 어머니가 당신을 사랑하는 것보다도 더 자기자신을 사랑해야 한다.

그러니 언제나 당신 자신과 연애하듯 삶을 살아라.

Day98

몽상이 아닌 꿈을 꾸는 사람과 어울려야 한다.
거대한 목표를 세우고 위대한 일을 이루려는 사람과
가까이하면 우리도 그렇게 된다. 우리가 잠재력을 온
전히 발휘하도록 도와줄 사람을 사귀어야 한다.

-조엘 오스틴

You attract like-minded people.
같은 생각을 가진 사람들을 끌어당긴다.
내 주위에 누구와 함께 하느냐에 따라 나의 인생은 바
뀐다.
나는 지금 주로 어떤 사람과 어울리고 있는가?
무엇보다 내가 현재 그것을 인식하고 있다는 사실이
중요하다.
앞으로 함께 어울리는 사람, 함께 시간을 보내는 사람
을 신중하게 선택해야 한다.
독수리와 함께 날자!

Day99

당신은 자신이 가장 많은 시간을 함께 보내는 다섯사
람의 평균치다.

-짐 론

Day100

무언가에 미쳐 있다는 것은 좋은 일이다.
미쳐본 사람은 안다. 그 안에 깊숙이 빠져 열중할 때,
잠도 제대로 못 자고 밥도 제대로 못 챙겨먹지만
세상을 다 가진 듯 짜릿하고 행복하다. 몸은 천근만근
무겁고 피곤해도 정신은 그 어느때보다 맑아짐을.
당신은 어느 하나에 100퍼센트 온 마음과 혼을 다해
올인해본 적 있는가? 피가 끓어오르듯이 갈망해본 적
이 있는가? 무엇인가를 이루고자 한다면 그 무엇을 사
랑해야 한다. 사랑하지 않으면 절대로 끝까지 해낼 수
없다.
자기 자신에게 질문해보자.
나는 단 하나의 내 삶을 뜨겁게 사랑하는가?
나 자신을 위해서 뜨겁게 사랑하는 삶을 살고싶은가?
그 대답이 yes라면 당신이 그토록 갈망하는 꿈을 찾고
그 꿈을 이루기 위해 기꺼이 될 때까지 도전하라!
그 과정에서 진정 충만하게 나다운 삶이 무엇인지를
가슴속에 절절히 깨닫게 될 것이다.

나를 진정으로 사랑할 때 나답게 살아갈 수 있다.

나답게 살 때 우리는 진정 자유로울 수 있다.

나답게 살 때 우리는 진정 사랑할 수 있다.

나답게 살 때 우리는 진정 현재를 살아갈 수 있다.

나답게 살 때 우리의 묘비명마저도 유쾌해질 수 있다.

눈 감는 날, 나 자신을 보며

박수쳐 주고 웃으며 갈 수 있는 삶!

그 삶이 바로 나다운 삶을 살았을 때가 아닐까?

그 삶이 진정 성공한 삶이 아닐까?

당신은 어떤 사람으로 살기를 원하는가?

가장 '당신'다운 삶이란 어떤 삶인가?

-뜨겁게나를응원한다,조성희

entwurf ; 최 유 수

자신이 하고 싶은 일을 묵묵히 해나간다는 것은
자기실현이라는 뿌듯함의 이면으로 엄습하는 깊고
질긴 불안감에 맞서는 일이다. 그러나 때로는 한 치
앞도 볼 수 없다는 사실이 곧 가장 생생한 희열이
되기 때문에 우리는 자신이 좋아하는 일에 순수하게
몰두할 수 있다.

　우리가 어디로부터 세상에 던져진 것인지는 알
수 없지만 어디로 가야 할지를 전적으로 선택할 수
있다는 것은 미약한 존재인 우리에게 참으로 다행
스러운 사실이다. 바로 다음순간으로, 가까운 미래
로, 먼 미래로, 끈질기게 나 자신을 기투하는 삶, 부
디 망설이지 말자.

–무엇인지무엇이었는지무엇일수있는지,최유수